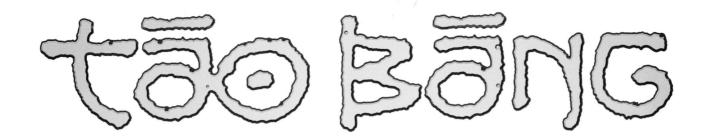

TĀO BĀNG

2. L'ÎLE AUX SIRÈNES

DESSIN & COULEURS
DIDIER CASSEGRAIN

DESIGN
FRED BLANCHARD

SCÉNARIO
OLIVIER VATINE & DANIEL PECQUEUR

DELCOURT

Bibliothèque nationale du Québec

Pour Laurence, Eva et Mathis.
D. C.

Merci à Laurence Cassegrain pour son dévouement à la cause
et à Pierre Corade pour la remodélisation 3D de Marchefer.
F.B. & O.V.

Dans la même série :
Tome 1 : Le Septième cercle
Tome 2 : L'Île aux sirènes

Du même scénariste, chez le même éditeur :
• Golden Cup (deux volumes) - dessin de Henriet
• Golden City (cinq volumes) - dessin de Malfin

Aux Éditions Petit à Petit :
• La Cour des grands (trois volumes) - collectif

Chez Dargaud Éditeur :
• Cargal (quatre volumes) - dessin de Formosa
• Thomas Noland (cinq volumes) - dessin de Franz
• Marée basse - dessin de Gibrat

Aux Éditions Jcer :
• Les Méandres de l'Histoire (l'histoire de Rouen en BD)

Label dirigé par Fred Blanchard et Olivier Vatine

Conception graphique : Trait pour Trait
Lettrage : Laurence Cassegrain

Achevé d'imprimer en décembre 2004
sur les presses de l'imprimerie Lesaffre, à Tournai, Belgique.
Relié par Ouest Reliure à Rennes.

www.editions-delcourt.fr

T'ENTÊTE PAS, KIRIN, SINON ON VA Y PASSER LA JOURNÉE !

OUAIS, RÉPONDS-LUI ET QU'ON EN FINISSE !

BON...

... IL FAUT DIRE UN POÈME.

UN POÈME ?!... ... TU TE FOUS DE MOI, LÀ ?

MAIS NON ! C'EST LA VÉRITÉ !...

... OÙ JE L'AI FOURRÉ ?

AH ! LE VOILÀ !... MON MAÎTRE SONGSHAN L'A ÉCRIT POUR NE PAS QUE JE L'OUBLIE !

OH NON !... C'EST PAS VRAI !...

QUOI ? QU'EST-CE QU'IL Y A ?

L'ENCRE N'A PAS RÉSISTÉ À L'EAU DE MER ! TOUT EST EFFACÉ ! C'EST UNE CATASTROPHE !...

SURTOUT POUR TOI CAR, DÉSORMAIS, TU NE M'ES PLUS D'AUCUNE UTILITÉ !...

BALANCEZ-MOI ÇA AUX REQUINS, LES FILLES !

N... NON, ATTENDEZ !... JE L'AVAIS APPRIS... ÇA VA ME REVENIR !

TU AS DIX SECONDES POUR RETROUVER LA MÉMOIRE ! PAS UNE DE PLUS !

COMMENT C'ÉTAIT DÉJÀ ?... EUH... "LORSQUE LA PIERRE S'IMMOBILISERA..." NON, C'EST PAS ÇA... EUH...

PLUS QUE CINQ SECONDES !

AH ÇA Y EST ! JE ME RAPPELLE !...

... "QUAND AU-DESSUS DES FLOTS S'ARRÊTERA LA PIERRE, LE TEMPS SERA VENU DE RÉCITER CES VERS"...

..."ALORS L'ÉTONNANT PRODIGE S'ACCOMPLIRA."

TAO BANG ! REGARDE LA PIERRE, ELLE S'ÉLÈVE EN SCINTILLANT DE PLUS EN PLUS !

... " ET DU FOND DE L'ABÎME, UNE ÎLE SURGIRA !"

?!

DEUXIÈME CLASSE MIRØ SKØPÏCK AU RAPPORT, MON GÉNÉRAL !... L'ÎLE AUX SIRÈNES VIENT D'APPARAÎTRE !

APPARAÎTRE ?!... COMMENT ÇA ?

BEN... EUH... COMME QUAND QUELQUE CHOSE APPARAÎT, MON GÉNÉRAL... EUH... Y'AVAIT RIEN ET APRÈS ELLE ÉTAIT LÀ !

LÀ ?

OÙ ?

BEN... DEVANT LE BATEAU DE TAO BANG, MON GÉNÉRAL !

PARFAIT !... C'EST LE MOMENT DE S'EN DÉBARRASSER !... IL FAUT ABSOLUMENT LES EMPÊCHER DE DÉBARQUER SUR L'ÎLE !

GÉNÉRAL !... ORDONNEZ IMMÉDIATEMENT À VOS HOMMES D'ATTAQUER !

TOUTES À VOS POSTES DE COMBAT !

PASSE-MOI LES MUNITIONS !... VITE !

GROUILLE-TOI !... QU'EST-CE QUE TU...?!

...

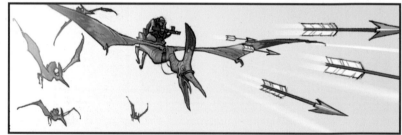

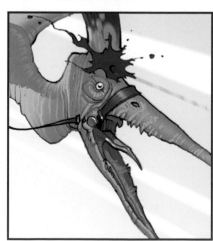

ÇA SE COMPLIQUE, LES MECS !... CETTE FOIS, ON NOUS ENVOIE L'ARTILLERIE LOURDE !

MAIS D'OÙ ILS VIENNENT, CES PUTAINS DE PIAFS ?!

DE... DE LÀ-HAUT...

UN DIRIGEABLE !

IL ÉTAIT PLANQUÉ DERRIÈRE LES NUAGES !

C'EST CELUI DU CHEIK DRAGON !

AIDE-MOI... JE N'ARRIVE PAS À LA RETIRER...

ÇA VA ALLER ?

PASSE-MOI MON ARME... LES FILLES ONT BESOIN DE MOI...

DANS TON ÉTAT ?... PAS QUESTION !

VOUS DEUX, JE VOUS LA CONFIE !... VEILLEZ SUR ELLE JUSQU'À MON RETOUR !

?!

MON GÉNÉRAL !... ILS CONTRE-ATTAQUENT !

COMBIEN SONT-ILS ?

ALLÔ ?... ALLÔ ?...

ON A ÉTÉ COUPÉS !

EH, LE CHAUVE : TU APERÇOIS NORDEN ?

NON, JE VOIS RIEN AVEC TOUTE CETTE FUMÉE !... ÇA ME PIQUE LES YEUX !

ET EN PLUS, ÇA VOUS DESSÈCHE LA LUETTE !

14

HOLÀ, DOUCEMENT !... C'EST PAS DU DÉSINFECTANT !

T'AS RAISON !

GLOUP !

TENEZ BON, LES FILLES, J'ARRIVE !

FAITES QUELQUE CHOSE SINON IL VA TOUS NOUS MASSACRER !

CLIC !

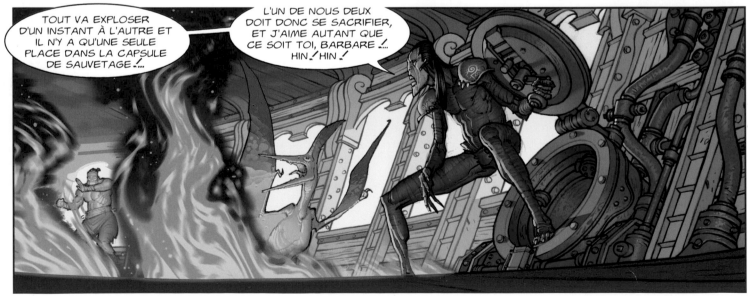

TOUT VA EXPLOSER D'UN INSTANT À L'AUTRE ET IL N'Y A QU'UNE SEULE PLACE DANS LA CAPSULE DE SAUVETAGE !...

L'UN DE NOUS DEUX DOIT DONC SE SACRIFIER, ET J'AIME AUTANT QUE CE SOIT TOI, BARBARE !... HIN ! HIN !

?!

C'ÉTAIT
LE DERNIER !

18

ON A GAGNÉ !

ET *NORDEN*?...
OÙ EST-IL ?

?!

BIEN JOUÉ, FILLETTE, EN PLEIN DANS LE MILLE !

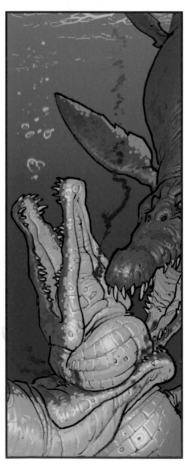

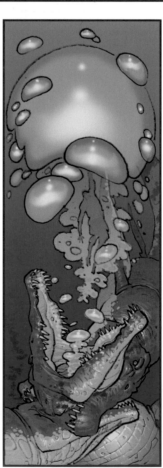

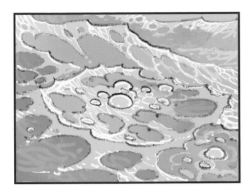
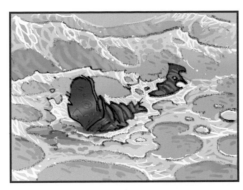

...

PAR KERNOK !...

LA BOTTE
DE *NORDEN* !

PAUVRE GARS !...
FINIR DANS L'ESTOMAC
D'UN MONSTRE...

LUI QUI AVAIT
SI BON APPÉTIT !

ON A PERDU
UN SACRÉ POTE !

ET *DAME ELLORA*,
UN SACRÉ PLOMBIER* !

*LIRE TOME I.

ON VA LUI RAMENER
LA BOTTE EN SOUVENIR,
POUR QU'ELLE L'ENTERRE
DANS LA COUR DE LA
MARÉE GALANTE...

COMME ÇA,
AU MOINS, IL AURA
UNE SÉPULTURE
DÉCENTE !

OHÉ !

?!

21

MOI AUSSI !... ENTRE LA BASTON DANS LE DIRIGEABLE, L'INCENDIE, L'EXPLOSION, ET LES MONSTRES QUI ME PRENAIENT POUR UN CASSE-CROÛTE...

... ÇA COMMENÇAIT À BIEN FAIRE !

LAISSEZ-MOI SORTIR !... J'ÉTOUFFE, LÀ-DEDANS !

TIENS, JE L'AVAIS OUBLIÉ, CELUI-LÀ !

QUI ÇA ?

LUI !

LE NÉCROMANT !

C'EST LUI QUI NOUS A FAIT BOMBARDER !

LE SALAUD !... ON VA LUI FAIRE LA PEAU !

C'EST PAS MOI !... JE N'AI FAIT QU'EXÉCUTER LES ORDRES D'AD ARPHAX !

COMMENT ÇA ?... IL T'AVAIT CHARGÉ DE ME SURVEILLER ?

OUI, CAR IL N'AVAIT PAS CONFIANCE EN VOUS !... ET IL TENAIT ABSOLUMENT À RÉCUPÉRER LA PIERRE MAGIQUE !*

*LIRE TOME I.

HÉ !... VENEZ VOIR !

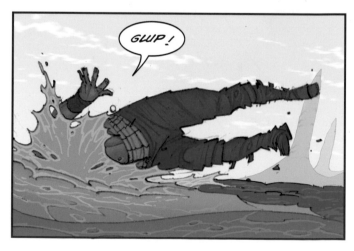

BEURK ! QU'EST-CE QUE C'EST QUE CE TRUC ?!

PAS DES SABLES MOUVANTS, EN TOUT CAS !

AINSI LA LÉGENDE DISAIT VRAI : CETTE ÎLE EST VIVANTE !

PTT !

QU'EST-CE QUE ÇA VEUT DIRE ?

ÇA VEUT DIRE QUE VOS AMIS SONT PERDUS !

BONJOUR, KESH !...

BONJOUR, KIRIN !...

BONJOUR, NORDEN !

L... LES SIRÈNES !

ALLONS, NE SOYEZ PAS TIMIDES !... APPROCHEZ !... CHOISISSEZ CELLES QUE VOUS VOULEZ !

JE PRENDS CELLE DU HAUT !

26

UNE ÎLE VIVANTE ?!

TU TE FICHES DE NOUS !

TU RACONTES N'IMPORTE QUOI POUR SAUVER TA PEAU !

PAS DU TOUT .!... C'EST VRAI QUE J'AI TRÈS ENVIE DE SAUVER MA PEAU, MAIS JE NE RACONTE PAS N'IMPORTE QUOI !

NON SEULEMENT CETTE ÎLE EST VIVANTE MAIS, DE PLUS, ELLE SE NOURRIT D'ÊTRES HUMAINS .!... MÂLES, EXCLUSIVEMENT .!... C'EST POUR ÇA QU'ELLE VOUS A RECRACHÉE TOUT À L'HEURE !

QU'EST-CE QUI ME PROUVE QUE TU DIS LA VÉRITÉ ?... COMMENT SAIS-TU TOUT ÇA ?

JE L'AI LU DANS UN VIEUX MANUSCRIT QUE J'AI TROUVÉ JADIS À LA BIBLIOTHÈQUE DU TEMPLE DE KERNOC .!... JE N'ÉTAIS ENCORE QU'UN JEUNE SCRIBE À L'ÉPOQUE, MAIS J'AI RAPIDEMENT RÉUSSI À GAGNER LA CONFIANCE DE MES MAÎTRES QUI M'ACCORDÈRENT LE RARE PRIVILÈGE D'AVOIR ACCÈS AUX ARCHIVES SECRÈTES...

CE DOCUMENT RELATAIT LES CONTES ET LÉGENDES DU ROYAUME DE *KERNOC*, DIEU DES ABYSSES...

L'UN DES CHAPITRES RACONTAIT L'HISTOIRE DE JEUNES SIRÈNES QUI AVAIENT TRANSGRESSÉ LA LOI DU TRIDENT EN DÉTOURNANT, À LEUR PROFIT, LA CARGAISON DE NAVIRES NAUFRAGÉS...

CELA LEUR VALUT D'ÊTRE BANNIES PAR LE SOUVERAIN QUI LES FRAPPA, EN OUTRE, D'UNE MALÉDICTION LEUR INTERDISANT DE TIRER LEUR SUBSISTANCE DU MILIEU MARIN.

APRÈS DE LONGUES SEMAINES D'ERRANCE, ALORS QU'AFFAMÉES ET ÉPUISÉES ELLES DÉRIVAIENT VERS UNE MORT CERTAINE, LEUR ROUTE CROISA CELLE DU *KRAKEN* AUPRÈS DUQUEL ELLES TROUVÈRENT REFUGE.

LE *KRAKEN* ?!... CETTE DIVINITÉ MARINE RIVALE DE *KERNOC* ?

PRÉCISÉMENT !... ET VOUS AVEZ LES PIEDS DESSUS, MESDEMOISELLES !

QUOI ?!

C'EST CE QUE JE ME TUE À VOUS RÉPÉTER DEPUIS TOUT À L'HEURE : CETTE ÎLE EST VIVANTE ET ELLE VIENT D'AVALER VOS AMIS !

AU FAIT, COMMENT VOUS AVEZ DÉCOUVERT NOTRE ÎLE ?

GRÂCE À MON MÉDAILLON...

ATTENDS, JE VAIS TE MONTRER !

?!

QU'EST-CE QUE TU AS, *KIRIN*?... TU EN FAIS, UNE TÊTE!

NE RESTE PAS PLANTÉ LÀ!... VIENS ME REJOINDRE!

HAAAA!

HAAA!... AU SECOURS!

TU ENTENDS?

ON DIRAIT LA VOIX DE *KIRIN*!

ON NE PEUT PAS LES LAISSER COMME ÇA!... IL FAUT ABSOLUMENT FAIRE QUELQUE CHOSE!

À L'AIDE!

VOUS AVEZ BIEN DIT QUE CETTE ÎLE SE NOURRISSAIT EXCLUSIVEMENT DE MÂLES?

OUI!... POURQUOI?

MAIS PUISQUE JE VOUS RÉPÈTE QUE ÇA NE MARCHERA PAS !... JE SUIS UN EUNUQUE !

TARATATA !... DE TOUTE FAÇON, ÇA NE COÛTE RIEN D'ESSAYER !

JE VOUS L'AVAIS BIEN DIT !

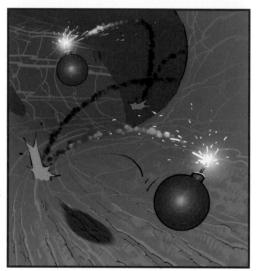

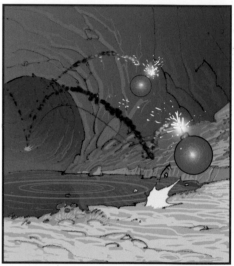

30

QU'EST-CE QU'ILS FABRIQUENT, TOUT NUS, AVEC CES MONSTRES ?

BEURK !... C'EST DÉGOÛTANT !

AU SECOURS, TAO !... CES SALOPERIES VONT NOUS BOUFFER !

ALLONS-Y, LES FILLES !

31

L'ÎLE S'ENFONCE !... LE *KRAKEN* VEUT NOUS NOYER !

IL FAUT SE GROUILLER DE SORTIR D'ICI SINON ON VA TOUS Y PASSER !... DEMI-TOUR !... *VITE !*

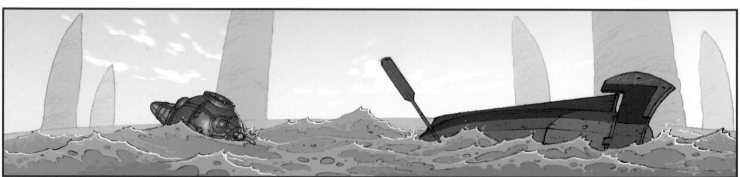

MERCI, LES FILLES !... JOLIE CANONNADE !... SANS VOUS, LE *KRAKEN* NOUS AURAIT TOUS TUÉS !

LE *KRAKEN* ?... QU'EST-CE QUE C'EST ?

LE *NÉCROMANT* VA VOUS EXPLIQUER ÇA !... MAIS AVANT, LIGOTEZ-LE !

... SERREZ PAS SI FORT SINON JE NE POURRAI PAS VOUS RACONTER LA FIN !

... ET DONC, COMME JE VOUS LE DISAIS, LE *KRAKEN* A RECUEILLI LES SIRÈNES. MAIS À SON CONTACT, ELLES SONT DEVENUES COMME LUI : LAIDES ET MONSTRUEUSES.

JE ME DEMANDE BIEN COMMENT ON A PU LES TROUVER BELLES ET SE JETER DANS LEURS BRAS, *NORDEN*, *KESH* ET MOI !... C'EST INCOMPRÉHENSIBLE !

VOUS AVEZ ÉTÉ VICTIMES D'UN SORTILÈGE QU'UTILISE LE *KRAKEN* POUR APPÂTER LES MARINS DONT IL SE NOURRIT !

Y'A QUELQUE CHOSE QUE JE NE COMPRENDS PAS : POURQUOI C'EST SEULEMENT QUAND J'AI REGARDÉ LÀ-DEDANS QUE J'AI DÉCOUVERT QUE C'ÉTAIT, EN RÉALITÉ, DES MONSTRES ?

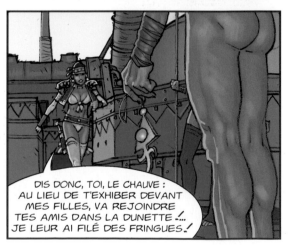

DIS DONC, TOI, LE CHAUVE : AU LIEU DE T'EXHIBER DEVANT MES FILLES, VA REJOINDRE TES AMIS DANS LA DUNETTE !... JE LEUR AI FILÉ DES FRINGUES !

34

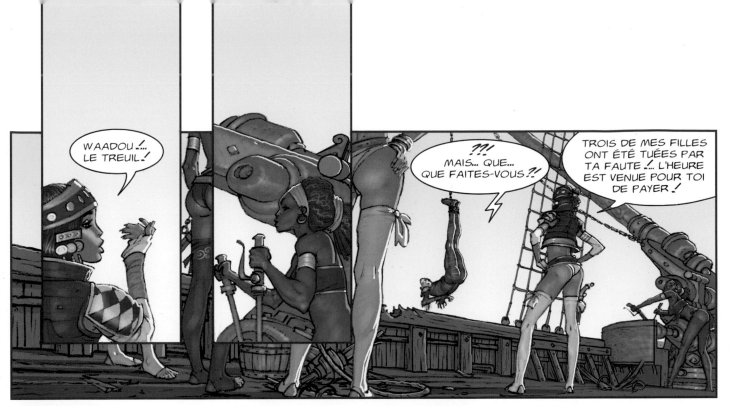

WAADOU !... LE TREUIL !

MAIS... QUE... QUE FAITES-VOUS ?!

?!!

TROIS DE MES FILLES ONT ÉTÉ TUÉES PAR TA FAUTE !... L'HEURE EST VENUE POUR TOI DE PAYER !

PITIÉ !... ATTENDEZ !... JE N'Y SUIS POUR RIEN, MOI !

MENTEUR !... C'EST BIEN TOI QUI AS COMMANDÉ À TES SBIRES DE NOUS BOMBARDER, NON ?

JE VOUS L'AI DÉJÀ DIT : JE N'AI FAIT QU'OBÉIR AU *CHEIK DRAGON* !... C'EST LUI QUI M'A ORDONNÉ DE VOUS SUPPRIMER AVANT QUE VOUS NE DÉBARQUIEZ SUR L'ÎLE !

LE SALOPARD !... IL AVAIT POURTANT PASSÉ UN MARCHÉ AVEC MOI !*... POURQUOI VOULAIT-IL M'ÉLIMINER ?

POUR S'EMPARER DES SIRÈNES SANS AVOIR À VOUS VERSER LA PRIME DE CENT MILLE RECAS QU'IL VOUS AVAIT PROMISE !

* LIRE TOME I.

L'ORDURE !... IL MÉRITERAIT QUE JE L'ÉTRANGLE !

JE PEUX VOUS ARRANGER ÇA !... JE CONNAIS UN BON MOYEN DE VOUS VENGER DE LUI !

MÉFIE-TOI, *TAO*, IL CHERCHE ENCORE À NOUS EMBROUILLER !

PAS SÛR !

... ON PEUT TOUJOURS L'ÉCOUTER, ÇA NE MANGE PAS DE PAIN !

HÉ !

SI VOUS VOULEZ VOUS VENGER D'*AD ARPHAX*, IL SERAIT PEUT-ÊTRE TEMPS DE ME REMONTER !

BON, JE T'ÉCOUTE !... PARLE !

SOIS BREF ET CONVAIN- CANT !

L'ESSENCE DE *CYCAS* !

L'ESSENCE DE *CYCAS* ?... CONNAIS PAS !

C'EST UNE DROGUE PUISSANTE QUI AFFÛTE LES SENS ET L'ESPRIT.

MAIS OUI !... *DAME ELLORA* NOUS EN A PARLÉ, TU TE RAPPELLES ?

OUAIP !...

... ELLE NOUS A MÊME EXPLIQUÉ QU'*AD ARPHAX* Y ÉTAIT ACCOUTUMÉ DEPUIS L'ENFANCE, COMME TOUS LES GENS DE SON PAYS !

EXACTEMENT !... À TEL POINT QU'IL NE PEUT PLUS S'EN PASSER !... JE SUIS BIEN PLACÉ POUR LE SAVOIR PUISQUE C'EST MOI QUI LUI DISTILLE SES DOSES !

JE PEUX D'AILLEURS VOUS DIRE QU'IL EST ACTUELLEMENT EN MANQUE, ET QU'IL ATTEND AVEC IMPATIENCE UN ARRIVAGE EN PROVENANCE DES COMPTOIRS D'ORIENT !

ET JE CONNAIS L'*ITINÉRAIRE* QU'EMPRUNTE LA CARAVANE !

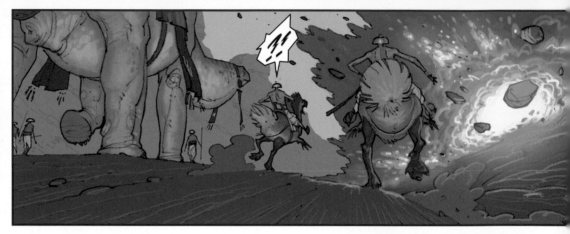

38

* UNE EMBUSCADE... DEMI-TOUR !

JE L'AI !

39

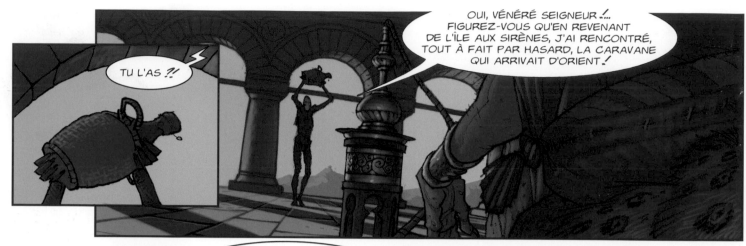

TU L'AS ?!

OUI, VÉNÉRÉ SEIGNEUR !... FIGUREZ-VOUS QU'EN REVENANT DE L'ÎLE AUX SIRÈNES, J'AI RENCONTRÉ, TOUT À FAIT PAR HASARD, LA CARAVANE QUI ARRIVAIT D'ORIENT !

J'EN AI PROFITÉ POUR LEUR ACHETER CETTE PLEINE BONBONNE D'ESSENCE DE *CYCAS* QUI, ENTRE PARENTHÈSES, M'A COÛTÉ UNE PETITE FORTUNE, ET...

IL M'EN FAUT TOUT DE SUITE, JE SUIS À BOUT DE FORCES ... ALORS VA LA DISTILLER, AU LIEU DE RACONTER TA VIE !

J'Y COURS, EXCELLENCE, J'Y COURS !

TA DERNIÈRE HEURE A SONNÉ, *AD ARPHAX* !... JE VAIS TE CONCOCTER UN REMONTANT À MA FAÇON !...

UN COCKTAIL DÉTONNANT QUI VA TE FOUDROYER SUR-LE-CHAMP !

DÉPÊCHE-TOI !... JE N'EN PEUX PLUS !

VOILÀ, VOILÀ !... J'ARRIVE !

TADERNIÈRE HEUREASON NÉADARPHAX JEVAISTECON COCTERUNRE MONTANTÀMA FAÇON !

UNCOCKTAIL DÉTONNANT QUIVATEFOU DROYERSUR LECHAMP !

?!

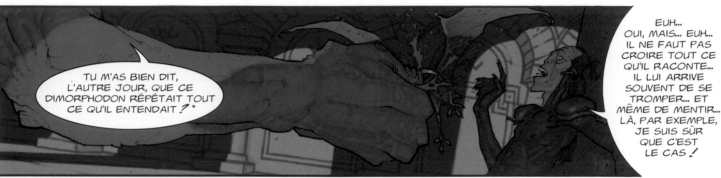

TU M'AS BIEN DIT, L'AUTRE JOUR, QUE CE DIMORPHODON RÉPÉTAIT TOUT CE QU'IL ENTENDAIT ?*

EUH... OUI, MAIS... EUH... IL NE FAUT PAS CROIRE TOUT CE QU'IL RACONTE... IL LUI ARRIVE SOUVENT DE SE TROMPER... ET MÊME DE MENTIR... LÀ, PAR EXEMPLE, JE SUIS SÛR QUE C'EST LE CAS !

* LIRE TOME 1.

ET MOI JE SUIS SÛR, AU CONTRAIRE, QU'IL DIT LA VÉRITÉ !

M... MAIS NON, JE VOUS ASSURE QUE...

INUTILE DE NIER !... LE CONTENU DE CE TONNELET TE TRAHIT !... IL N'A PAS LE GOÛT HABITUEL !... J'AI IMMÉDIATEMENT SENTI EN LE BUVANT QU'IL ÉTAIT PLUS FORTEMENT DOSÉ EN ESSENCE DE *CYCAS* !

JE... JE ME SUIS SANS DOUTE TROMPÉ EN LA DISTILLANT... CE... C'EST UNE REGRETTABLE ERREUR DE MA PART, EXCELLENCE... REGRETTABLE ET INVOLONTAIRE !

TU MENS, VIEILLE FRIPOUILLE !... JE SUIS CERTAIN QUE TU AS AGI INTENTIONNELLEMENT DANS L'ESPOIR DE M'EMPOISONNER !... MAIS, TU VOIS, ÇA N'A PAS EU L'EFFET ESCOMPTÉ... AU CONTRAIRE : JE NE ME SUIS JAMAIS SENTI AUSSI BIEN !... JE REVIS !

TOI, EN REVANCHE, TU VAS MOURIR POUR AVOIR TENTÉ DE M'ASSASSINER !

NON !... PITIÉ !... C'EST PAS MOI !... C'EST *TAO BANG* LA COUPABLE !... ELLE M'A FAIT PRISONNIER LORS DE L'ATTAQUE DE L'ÎLE AUX SIRÈNES ET ELLE M'A LAISSÉ LA VIE SAUVE À CONDITION QUE JE VOUS TUE !

LA CHIENNE !... OÙ EST-ELLE ?

CHEZ... CHEZ *ELLORA* !

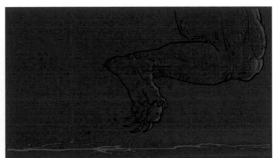

TAO BANG !

T'ENTENDS ?...
QUELQU'UN T'APPELLE !

IL ME SEMBLE
BIEN QUE C'EST LA
VOIX D'AD ARPHAX !

BOUGEZ PAS :
JE VAIS VOUS
DIRE ÇA !

HOU LÀ LÀ !
VENEZ VOIR, IL
EST DEVENU
ÉNORME !

C'EST MOI QUE TU CHERCHES ?... QU'EST-CE QUE TU VEUX ?

TRINQUER AVEC TOI À LA MORT DU NÉCROMANT !

BOIS !... ON VA VOIR SI TU RÉSISTES AUSSI BIEN QUE MOI À CE DOSAGE MORTEL D'ESSENCE DE CYCAS !

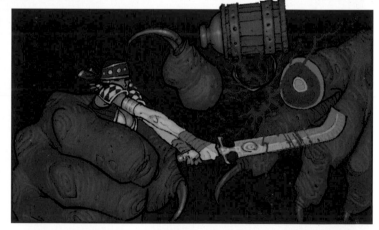

44

DONNE-MOI ÇA !

SI TU LE VEUX, LÂCHE D'ABORD *TAO* !

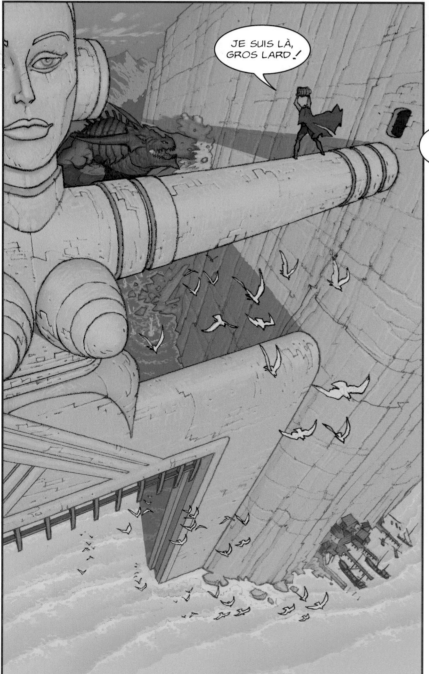

TAO?!

TAOOO!!

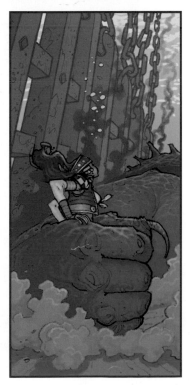

"LA FEMME EST COMME LE SERPENT : ELLE T'ENLACE AVANT DE T'ÉTOUFFER !"

DISAIT MON VÉNÉRÉ MAÎTRE SONGSHAN !

UN FIEFFÉ MENTEUR, CELUI-LÀ !

POURQUOI TU DIS ÇA ?

PARCE QU'IL T'A RACONTÉ QUE L'ÎLE AUX SIRÈNES ÉTAIT PEUPLÉE DE JOLIES FILLES !... IL S'EST BIEN FOUTU DE TOI !*

* LIRE TOME I.

JE NE CROIS PAS !... JE PENSE, AU CONTRAIRE, QU'AVANT DE MOURIR IL A VOULU VOUS ENSEIGNER UNE DERNIÈRE CHOSE !

QUOI DONC ?

EH BIEN, EN VOUS ENVOYANT SUR L'ÎLE IL SAVAIT QUE VOUS TOMBERIEZ SOUS LE CHARME DES SIRÈNES !... C'EST D'AILLEURS POUR ÇA QU'IL VOUS A REMIS LA PIERRE MAGIQUE GRÂCE À LAQUELLE VOUS VOUS ÊTES RENDU COMPTE QU'IL S'AGISSAIT EN FAIT DE MONSTRUEUSES CRÉATURES !

VOTRE MAÎTRE ÉTAIT UN GRAND SAGE : IL A VOULU AINSI VOUS APPRENDRE QUE NOS SENS NOUS TROMPENT QUELQUEFOIS, ET QU'IL NE FAUT JAMAIS SE FIER AUX APPARENCES !

ÇA, C'EST BIEN VRAI !

HA ! HA !

HA ! HA !

HA ! HA !

FIN.

RETROUVEZ PROCHAINEMENT TAO BANG
DANS UN NOUVEL ÉPISODE DE SES AVENTURES :
"LA VALLÉE DES GÉANTS"